Dirección editorial:
Departamento de Literatura
Infantil y Juvenil

Dirección de arte:
Departamento de Imagen y Diseño GELV

Diseño de la colección:
Manuel Estrada

El 0,7% de la venta de este libro se destina al Proyecto «Mejora de la calidad y oferta educativa del ciclo diversificado del Instituto Tecnológico Quiché de Chichicastenango (Guatemala)», que gestiona la ONG Solidaridad, Educación, Desarrollo (SED).

Título original: *Highway Robbery*
Publicado por primera vez por Random House Chidren's Bokks,
filial de Random House Group Ltd.

Carretera de Madrid, km. 315,700
50012 Zaragoza
Teléfono: 913 344 883
www.edelvives.es

Editado por Juan Nieto Marín

ISBN: 978-84-263-7270-3
Depósito legal: Z. 2980-09

Talleres Gráficos Edelvives (50012 Zaragoza)
Certificados ISO 9001

Printed in Spain

FICHA PARA BIBLIOTECAS

THOMPSON, Kate (1956-)
El salteador de caminos / Kate Thompson ; ilustraciones, Jonny Duddle ; traducción, Adriana Acevedo. – 1ª ed. – Zaragoza : Edelvives, 2009
99 p. : il. ; 20 cm. – (Ala Delta. Serie verde ; 73)
ISBN 978-84-263-7270-3
1. Bandoleros. 2. Caballos. 3. Niños de la calle. 4. Londres-siglo XVIII. I. Duddle, Jonny, il. II. Título. III. Serie.
087.5:821.111-3"19"

EDELVIVES

ALA DELTA

El salteador de caminos

Kate Thompson

Ilustraciones
Jonny Duddle

Traducción
Adriana Acevedo

1

Ser pequeño tiene sus cosas buenas y sus cosas malas. Pero qué podría saber un hombre alto y elegante como usted de eso, ¿no, señor? Pues es verdad. Una de las cosas buenas es que muchas veces la gente cree que soy mucho menor de lo que soy y entonces se compadecen de mí. Sobre todo las mujeres que tienen hijos. Y sobre todo las pobres, que saben que sus pequeños podrían estar a un paso de mendigar por las calles, como yo. No es que le esté pidiendo limosna, señor. No me gustaría que pensara eso ni por un instante.

Pero mi suerte ha cambiado, señor, verá usted. Tal vez no lo aparente así, a simple vista —al menos todavía no—, pero no deja de ser cierto. Y de no haber sido tan pequeño, nunca me habría ocurrido.

Verá, una de las cosas malas de ser pequeño es que casi todos los chavales que mendigan por las calles son más grandes. Y si uno es más grande, tiene más autoridad, por así decirlo. Puede elegir el mejor lugar para mendigar sin que nadie le moleste, siempre y cuando no fastidie a los tenderos ni les espante la clientela. Pero si uno es pequeño, eso ya es otra cosa. Cuando he encontrado un buen lugar, siempre me ha acabado echando de allí algún chico más grande, y me ha dejado moratones de sobra para demostrarlo, se lo puedo asegurar. Una vez, un tío me golpeó tan fuerte que no pude oír nada durante toda una semana. Pero eso fue hace mucho tiempo, señor, ahora oigo tan bien como cualquier otro.

Y todo esto se lo cuento para explicarle cómo es que terminé mendigando tan lejos del centro de la ciudad. Andaba por las afueras el día que cambió mi suerte. Era un día frío y triste que amenazaba con llover o nevar. Recuerdo que una vez tuve unas botas, pero se mojaban tanto que los clavos perforaron las suelas y parecía que caminase sobre un par de erizos. Ésa es la verdad, señor. Dejé que otro chico me las robara sólo para darme el gusto de oír cómo aullaba al ponérselas.

Pero ese día, en las afueras de la ciudad, no llevaba botas y tenía los pies tan fríos como el hielo, y las manos poco menos. También tenía hambre, pero a eso ya estoy acostumbrado. Recuerdo una vez que no tuve hambre, señor, pero no duró mucho y fue hace ya demasiado tiempo. Tampoco ese día había mucho tráfico por esa calle. Era una de ésas pequeñas, feas y fangosas, llenas de cerdos y agua sucia, por las que no pasan los carros porque siempre se atascan. Sí transitaban algunas personas, pero ninguna tenía una moneda o un trozo de pan para darme; así que, a fin de cuentas, el día pintaba muy mal para mí. Pero, entonces, en un abrir y cerrar de ojos, mi suerte cambió.

Lo oí antes de verlo. Y antes, incluso, lo sentí a través de mis pies congelados. Parecía que se avecinaba una tormenta lejana, así que no supe adivinar qué era. Entonces el ruido se empezó a sentir más cerca y a hacerse más claro. Era la trápala de unas pezuñas, un estruendo producido entre la suciedad y el hielo del suelo.

Doblando la esquina venía un jinete alto montado en un gran corcel negro. Los cerdos y las gallinas despejaron el camino en un santiamén, apartándose de su paso. Yo también retrocedí, señor, y me apreté contra la pared, a pesar de que ya estaba lo bastante lejos de la calle. El jinete continuó a toda carrera, la capa negra ondeándole por detrás. Fue entonces cuando vi su rostro. Tenía las mejillas rojas por el frío y un bigote tan negro como el caballo sobre el que venía montado.

No era a mí a quien miraba mientras se acercaba, sino que tenía los ojos puestos en algo que no era yo. Creo que era la callejuela. Apenas estuvo a mi altura, se enderezó en la silla y sofrenó tan fuerte la yegua que cabalgaba que ésta quedó sentada de culo, bañándose de barro. Me llegó a salpicar la cara, señor. Así de cerca estaba yo.

Ligero como un gato, el jinete desmontó de un salto y pasó las riendas por encima de la cabeza del caballo. Luego, avanzó resuelto hasta mí y me las puso en la mano. Yo lo miré boquiabierto; debí de poner la boca tan grande como una tejonera. Seguramente podrá imaginarse lo pasmado que me quedé. Ese hombre era muy alto, y traía las mejillas enrojecidas, y respiraba fuerte, y las lágrimas bañaban su rostro. Parecía un loco furioso, señor, y admito que me quedé aterrado tan sólo con verlo.

Pero, por supuesto, el aspecto que tenía no se debía a que estuviese molesto o acongojado, sino a que venía cabalgando a toda velocidad y el clima era gélido. Y en efecto, cuando abrió la boca no fue para gritarme, que es lo que yo hubiese esperado, sino para decir, y muy suavemente: «Sostenme el caballo,

chaval. Cuando vuelva te daré una guinea* de oro».

Y me alborotó el pelo, señor. Mire, así. Me lo revolvió como un manojo de paja. Después de eso, yo habría hecho cualquier cosa por él. No me topo con personas bondadosas muy a menudo, como seguramente podrá imaginarse. Así que sujeté bien las riendas, cerré la tejonera y asentí con la cabeza hasta que me castañetearon los dientes.

—Puede confiar en mí, señor —le dije—. No me moveré ni un centímetro de aquí hasta que usted vuelva.

—Buen chico —respondió él.

Tiró de una de las alforjas cargadas sobre la cruz del caballo, se desabrochó la capa

---

* Guinea de oro: moneda utilizada en Gran Bretaña hasta 1971.

y la colocó con cuidado en el lomo del animal. Eso demuestra, señor, cuánto valoraba a su yegua, porque era un día frío para que un hombre anduviera por ahí en mangas de camisa. Entonces, le acarició el pescuezo, a mí me guiñó un ojo y se fue, escabulléndose por la callejuela y desapareciendo de mi vista.

2

Tenía tanta hambre como una cerda y diez cerditos, pero me sentía plenamente satisfecho. No sé si tendrá lógica, pero a veces un poco de bondad satisface más que un pastelillo de carne. Y también la confianza que depositan en uno; tener un poco de responsabilidad. Eso puede hacerte sentir un hombre, aunque no seas más alto que un codo.

Y ese caballo, señor. Creo que nunca antes me había hecho cargo de un animal como ése. La mayoría de los caballos que he visto tiran carros y no necesitan a nadie que los sujete. Si el cochero baja a hacer una entrega o a tomar una jarra de cerveza, sus caballos esperan hasta que vuelve. Además, los lacayos no dejan que los de mi tipo se acerquen a sus animales. Quizá teman que les pegue las pulgas. Pero ahí estaba yo, sujetando su yegua. ¡Y era enorme, medía dieciséis palmos! ¡Y tan hermosa! Sus fosas nasales estaban rojas como amapolas, y sus ojos eran grandes y brillaban por el esfuerzo de la galopada. Y miraba a uno y otro lado, como si siguiera viendo pasar el campo a toda velocidad.

Debo reconocer que me daba un poco de miedo. Era muy imponente y desprendía mucho calor; estaba cubierta de barro y echaba vapor como un dragón a punto de sufrir un ataque de furia. Para empezar, ya estaba muy inquieta por haber galopado tanto y tan rápido. En ese sentido, imagino que los caballos son bastante parecidos a los hombres. Ni uno ni otro pueden extinguir sus emociones tan rápido como les gustaría. Así que la yegua miraba a un lado y a otro, y alzaba una pata, y luego la otra. Terminó por plantar abiertas las cuatro patas, y se sacudió tan fuerte que

sus faldones temblaron y la capa negra se le resbaló hacia un costado. Pero, a pesar de su impaciencia, ni una sola vez trató de soltarse de mí. Era una dama, pura de corazón de los pies a la cabeza, señor, como las hay pocas.

Y a medida que se iba tranquilizando yo me iba sintiendo más seguro, hasta que por fin me armé de valor para estirar la mano y acariciarle el hocico con los dedos. Ella soltó un suspiro larguísimo y bajó la cabeza.

Así pude llegar mejor, y le acaricié la frente y le peiné el negro copete con los dedos. Habría jurado que le gustó, y me pregunté si los caballos eran como los niños y si también ellos sentían la necesidad de un poco de ternura de cuando en cuando.

Por tanto, sujetarla era tarea fácil, pero había algo que la hacía mejor que fácil y la transformaba en un placer. Sus bufidos eran fuertes, y los dirigía directamente hacia mí, colmando de calor mis desgraciadas manos y pies. Durante un largo rato me quedé ahí, absorbiendo su calor, y poco a poco mis manos y pies de piedra volvieron a la vida.

Pero nada es para siempre. Después de un rato, la respiración de la yegua volvió a la normalidad y el frío de nuevo penetró en mis huesos. Me empecé a preguntar cuándo regresaría el caballero y cuándo podría por fin ver mi guinea de oro. Nunca antes había visto una, así que traté de imaginar qué podría hacer con ella. Pensé en pasteles, y en manitas de cerdo, y en manzanas y sopa de guisantes. Me acordé del mercado en el que se pueden comprar botas de segunda mano por un chelín* y mantas de lana remendadas por seis peniques**. Imaginé un pan caliente con tal fuerza que me llegó su

* 21 chelines equivaldrían a una guinea.

** Doceava parte de un chelín.

olor. Entonces me di cuenta de que aquello no era producto de mi imaginación. De verdad lo olía, y también lo veía; lo llevaban en las manos dos niñas que caminaban por la acera y venían hacia mí.

3

—¿Qué haces? —preguntó la más alta. Llevaba una coleta y una falda gris con una franja negra en la parte de abajo, donde le habían bajado el dobladillo.

—Estoy cuidando este corcel a un caballero —respondí.

—¿Qué caballero? —preguntó ella.

—Un caballero —dije— que prefiere no dar su nombre a las niñitas.

—Soy más grande que tú —dijo ella.

Eso era verdad, pero también era irrelevante, así que no repliqué.

—De cualquier forma —continuó—, no veo ningún caballero por aquí.

Tampoco respondí a eso. Las dos se quedaron ahí, mirándome. Yo sólo miraba al caballo y no a ellas, aunque no podía evitar echar un vistazo de vez en cuando a sus panes. Cada una tenía uno, y apenas si los habían mordisqueado. No me importa decírselo, señor, pero el olor me hacía desfallecer de hambre.

—¿Por qué lleva abrigo el caballo? —preguntó la más pequeña después de un rato. Era bastante bizca y no supe si me miraba a mí o al animal. Podría haber estado mirándonos a ambos a la vez.

—No es macho —aclaré—. Y lleva abrigo porque es la yegua más valiosa de Inglaterra y hay que tenerla abrigada. Cuando está en casa, en su establo, usa una gorra de fieltro y un vestido de seda, y come pudín de pasas y naranjas.

—No es verdad —dijo la niña bizca y rio tontamente.

—E higos —añadí—. Le gustan, en especial, los higos.

La bizca se acercaba cada vez más. De no haber sido por el caballo, le habría arrebatado el pan y habría echado a correr. Pero se me ocurrió otra forma de conseguirlo.

—De hecho —dije yo—, esta yegua es tan especial que por sujetarla me están pagando un chelín a la hora.

Acaricié el hocico de la yegua y ella volvió a acercarme su cabeza.

—No te creo —dijo la que llevaba una coleta—. Nunca oí que nadie pagara sólo por sujetar un viejo caballo cubierto de barro.

—Tal vez esté cubierta de barro —dije—, pero eso no quiere decir que no sea especial. ¿O es que alguna vez habíais visto un caballo con capa?

La bizca estaba justo a mi lado, extendiendo la mano tímidamente hacia el hocico de la yegua, pero la aparté de un codazo.

—Escuchadme —dije a las niñas—, si tantas ganas tenéis de tocar a Su Majestad, podemos llegar a un acuerdo. Pero no es gratis.

Un minuto más tarde, me estaba embutiendo una de las barras de pan en la boca y la otra en el bolsillo de cazador que tenía cosido dentro de mi viejo abrigo remendado. Las dos niñas se acercaron a la yegua, exclamando «¡oh!» y «¡ah!» mientras le acariciaban el hocico y el pescuezo, le trenzaban la crin y la cola, y hacían un muy buen trabajo tratando de enderezarle la capa, de forma que colgara exactamente igual de un lado y del otro. La yegua fue muy paciente pese a toda la atención que le prestaban, señor. Juraría que sabía qué estaba pasando, porque arqueó el pescuezo y pestañeó y, con todo lo que la acicalaron, empezó de verdad a parecer de la realeza. Pero después de un rato me di cuenta de que se estaba empezando a impacientar, así que tan pronto como terminé con lo que me quedaba del pan, anuncié a las niñas que se les había terminado el tiempo.

—Si regresa su amo y os encuentra aquí, nos propinará una paliza a todos —dije—. Debéis jurar por la tumba de vuestras madres que no diréis a nadie lo que acabáis de comprar.

—¿Por qué? —preguntó la de la coleta.

—Porque no debí dejaros —expliqué—. Y si se lo contáis a otros, todos querrán venir a abrazar a Su Majestad y entonces tendré que rechazarlos, y su dueño irá tras vosotras y os encerrará en prisión.

Las niñas se fueron, al parecer, preocupadas, y yo manoseé el otro pan que tenía en el bolsillo. Comerlo o no comerlo, ése era mi dilema, señor. Dudo que sea un dilema con el que usted se haya topado alguna vez. La

cuestión era que, si me lo comía y las niñas lo acababan contando por ahí, no quedarían pruebas; sería su palabra contra la mía. Pero, también, si decidía comérmelo, entonces no lo podría hacer más tarde, y no tenía ni idea de cuándo podría regresar mi caballero. Así que opté por guardarlo, al menos por el momento.

4

Hacía ya mucho rato que el caballero se había ido, y yo me estaba empezando a angustiar porque no regresaba. Observé que los cerdos y las gallinas rebuscaban entre el fango helado y me pregunté qué clase de comida podrían encontrar entre toda esa suciedad.

Cuando se fueron las niñas, la calle se quedó vacía durante un rato y luego pasaron unos granjeros que llevaban ovejas al carnicero, y luego un hombre con un carro de leña que venía formando una tormenta de barro, y luego una lavandera con un bulto enorme envuelto en una sábana mugrienta. Todos nos miraban al caballo y a mí, pero nadie se paró ni nos habló. Sin embargo, al poco tiempo vino un hombre y se interesó mucho por mí y por el animal. Vi que nos observaba mientras venía caminando. Cuando quedó a nuestra altura, se detuvo y se quedó mirando.

No me gustó su aspecto, señor, desde que le puse la vista encima. Cuando uno vive en la calle, aprende a conocer a la gente. Es una cuestión de supervivencia. Y este hombre me parecía sospechoso. Cruzó a la acera donde yo estaba, tal y como imaginé que haría, pero durante un largo tiempo no dijo ni palabra. Empezó a dar vueltas alrededor de la yegua, mirándola de arriba abajo y por encima y por debajo una y otra vez.

—¿A quién pertenece? —preguntó por fin. No era una persona muy vieja, pero ya había perdido la mayoría de los dientes y no hablaba con mucha claridad.

—Eso no le incumbe —dije yo.

Me miró con tal odio que temí que pudiera golpearme. Sabía que no se lo pensaría dos veces. Ese tío estaba acostumbrado a la violencia.

—¿Cuánto pides por ella? —preguntó.

Y no me importa decírselo, señor, pero esa pregunta me hizo reflexionar. No se me había ocurrido antes, a pesar de lo que les dije a las niñas, pero esa yegua sí que valía mucho dinero.

El hombre me observaba mientras yo pensaba, y ojalá se me hubiera ocurrido una respuesta inteligente, pero me quedé totalmente atascado en el conflicto entre la posibilidad de ganar dinero y la lealtad al caballero jinete. ¿Cuánto valía? Eso era lo que pensaba. Mucho más que la guinea prometida; eso, con toda seguridad.

—¿Qué tentación, no? —dio un paso más hacia mí mientras lo decía y miró rápidamente a ambos lados de la calle.

No quisiera darle la impresión equivocada, señor. Seré pobre, pero no soy ningún ladrón. Lo que digo es que no podía pasar por alto, sin analizarla debidamente, la posibilidad de tener mucho dinero.

—De hecho, no —dije, pero sabía que a mis palabras les faltaba convicción y estoy seguro de que el viejo desdentado también lo sabía.

—Hummm —murmuró, y volvió a inspeccionar a la yegua, aunque dudo mucho que quedara algo de ella que no hubiera visto ya la primera vez.

Yo también la contemplé, esta vez con los ojos bien abiertos y con cifras en la mente que se hacían más grandes y descabelladas a cada momento. La cantidad de dinero que podría ganar con esa yegua sacaría a un chico como yo de la pobreza, señor. Tal vez podría montar mi propio negocio. Podría vender pasteles o bollos en los mercados. O lustrar botas como las suyas, señor. Estoy seguro de que sabrá comprender por qué me enfrasqué en una batalla así de intensa con mi propia conciencia.

El viejo desdentado se dio media vuelta para observar un carro que rodaba lenta y

ruidosamente hacia nosotros, y yo también lo hice para verlo. Venía cargado de nabos y zanahorias y lo vigilaban dos fornidos granjeros: uno iba delante, caminando a la altura de la cabeza del caballo, y el otro, sentado, detrás. Ambos llevaban porras.

Cuando volví la cabeza, el desdentado ya había desaparecido. No había tenido tiempo de llegar hasta el final de la calle, por lo que supuse que debió de meterse por una de las callejuelas. Mis sueños de dinero se fueron con él, pero me alegré de que todo eso se hubiera terminado y se hubiera alejado esa espantosa tentación.

5

Los granjeros se detuvieron a admirar la yegua. Los dos eran tan anchos como altos, de antebrazos abultados y hombros fuertes.

Uno de ellos tenía tanto pelo en la cabeza como un almiar, pero nada en el mentón. El otro era prácticamente calvo, pero lucía una barba rojiza que le crecía hasta

el pecho. Era tan espesa que bien podría anidar allí dentro una familia de reyezuelos. Pensé que, si alguien diera la vuelta a su cabeza, probablemente se parecería mucho a su compañero.

—¡Ah, pero qué yegua más extraordinaria! —dijo éste, dándole una palmada tan fuerte en el pescuezo que temí que la derrumbara.

El de la cabeza de almiar le dio una palmadita en la grupa.

—¿A quién pertenece, pues? —preguntó.

Pero señor, no se me ocurrió, ni siquiera por un instante, desconfiar de esos dos. Tal vez fue por sus movimientos lentos y seguros, o por los largos días de arduo trabajo que tenían acumulados en los músculos, o tal vez sólo fueran sus ojos, azules como el cielo de verano y llenos nada más que de asombro.

Así que les hablé del caballero y su impetuosa entrada a la ciudad, y les conté lo de la promesa de la guinea de oro, y les conté también todo sobre el viejo desdentado y sus trucos tramposos para quedarse con la yegua.

—Habrá perdido el tiempo, ¿no? —preguntó el de la cabeza de almiar—. Con un chaval tan bueno y honesto como tú, no habrá llegado a ningún lado con ese juego.

Eso me hizo sentir bien, señor. Me hizo incluso creer que nunca había llegado a tomar en serio la propuesta del viejo desdentado.

—De todas formas, nunca confíes en un tío de esos —dijo el de la barba de nido—, seguro que tendría a un listillo esperando en la esquina, preparado para saltar y quitarte el dinero.

Quizá esos granjeros fueran lentos pero, con toda certeza, no eran tan estúpidos como parecían. Y yo que creía conocer todos los trucos de la calle... pero ése no se me había ocurrido.

Llevaban un pequeño barril de agua atado a un costado de su carro y, ya que habían parado, aprovecharon la oportunidad para servirse un poco. También a mí me dieron un trago, que me vino bastante bien, sí señor. La yegua se puso bastante nerviosa cuando percibió el agua.

—Tiene sed, la pobrecilla —dijo el de la cabeza de almiar.

Y es que, pensándolo bien, tenía que estar muy sedienta, después de galopar tanto y durante tanto tiempo, ¿no, señor? Pero a mí ni se me había pasado por la cabeza, con lo ignorante que soy en todo esto del mundo equino. No había suficiente agua para ella

en el barrilito, pero tenían un cubo para dar de beber a su propio caballo y el de la cabeza tupida se lo llevó para buscar una bomba de agua. Cuando volvió, la yegua metió la cabeza hasta sumergir los ollares en el agua.

—Eso no se ve muy a menudo —dijo el de barba de nido—. La mayoría de los caballos evitan mojarse las fosas nasales.

—Es una señal de que tiene un gran corazón —dijo el de la cabeza de almiar.

—¿De verdad? —pregunté yo.

—Eso dicen —contestó.

—Eso dicen —repitió su amigo.

Estaban totalmente locos por la yegua, señor, y muy reacios a continuar su camino. El de la cabeza de almiar fue por otro cubo de agua y el de la barba de nido le dio zanahorias con tallo y todo, y un puñado de la avena que traían para su propia yegua, pero, claro, a ésta no le gustó nada la idea y también tuvieron que darle. Yo quería quedarme con esos tíos para siempre. Eran grandes y fuertes y buenos, y no les importaba que se notaran sus modos lentos, de campo, allí donde fueran. Incluso cuando se puso otro carro detrás, no mostraron prisa por irse, y no fue sino hasta que el otro cochero se impacientó y empezó a proferir insultos cuando por fin nos dejaron a la yegua y a mí, y recogieron sus porras y emprendieron su camino.

6

Los eché de menos cuando se fueron, y también la yegua. Lo juro, señor. Relinchó cuando se marcharon, y fue la única vez en todo el día que hizo algún ruido o hizo caso a alguien. Pero sí que había un sujeto encantado de ver a esos granjeros marcharse: el viejo desdentado. Cuando lo vi regresar, supuse que había andado merodeando un rato, esperando a que se fueran, oculto en alguna de esas callejuelas oscuras como la rata de alcantarilla que era. Esta vez lo acompañaba otro tipo, un hombre corpulento con chaleco y unos pantalones de montar completamente manchados de barro. Por su ropa, cualquiera podría pensar que se trataba de todo un caballero, señor, pero le aseguro que no lo era. Ya podría haber llevado un mejor atuendo, pero estaba hecho de la misma pasta que el viejo desdentado, no tengo duda.

Y al igual que el desdentado, nunca me miró directamente a mí, sino que dio vueltas

alrededor de la yegua y la examinó desde todos los ángulos imaginables. Cuando terminó con la inspección, se acercó lentamente hasta la cabeza del corcel y, sin avisar o siquiera pedir permiso, le levantó los labios para escrutar sus dientes. A ella no le gustó, señor, no le gustó ni pizca. Echó atrás la cabeza y retrocedió un poco, y como yo no estaba dispuesto a soltarla, terminó arrastrándome hasta el barro y por toda esa agua sucia.

Yo protesté, señor. Les pregunté por qué querían agredir al caballo de mi amo de tal manera, y les ordené que se fueran, aunque no en términos tan amables.

—¿Quién es, pues, ese amo tuyo? —preguntó el hombre del chaleco—. ¿Y por qué ha dejado abandonado su caballo en medio de una pocilga?

—No la ha abandonado —le dije—. Me la ha dejado para que la cuide. Seguro que regresará muy pronto, y si sabéis lo que os conviene, la dejaréis tranquila, porque si os llegase a encontrar embobados, mirándole el hocico, no se lo tomará con humor.

—Pues no debe importarle mucho, ¿no crees? —dijo—. ¿Quién dejaría a un animal tan hermoso parado en medio de la porquería, al cuidado de un granuja?

—¡No permitiré que me llame granuja! —protesté.

Esto hizo a los dos hombres reír a carcajadas. Mientras estaban entretenidos burlándose de mí, yo llevé a la yegua de vuelta a la acera. Me siguió como un corderito, y le acaricié el hocico para que supiera que estaba contento.

—Me cae bien este chaval —dijo el de los pantalones embarrados—. ¿Tú crees que deberíamos dejarle una tajada?

Me parece que al viejo desdentado no le gustó la idea, pero no se opuso, así que el otro me contó su plan.

—Yo me dedico a comprar y vender caballos y, cuando hago algún negocio, me gusta que todo esté en regla. Así que aquí va mi propuesta: te doy treinta chelines por la yegua.

—¡Treinta chelines! —escupió el desdentado, pero el otro lo ignoró y continuó:

—De esa forma, no tendrás que volver a tu alcantarilla con las manos vacías, y yo podré decir que compré el caballo legalmente. Creo que puedo conseguir unas siete guineas por la bestia, y mi amigo también recibirá su parte por haberme dado la información. ¿Qué te parece entonces nuestro arreglo, eh?

Treinta chelines era una oferta tentadora. Después de todo, eran nueve chelines más que la guinea que me había prometido el caballero. Y fue aún más tentadora cuando lo vi sacar la bolsa de monedas y escuché ese hermoso tintinear que producían.

—Nunca te encontrará —dijo el desdentado—. Un enano como tú puede perderse fácilmente en una gran ciudad como ésta.

Miré alrededor y me percaté de un nuevo peligro. Los dos carros habían desaparecido, dejando profundos surcos de barro tras de sí. Los cerdos estaban por todas partes, rebuscando desperdicios con sus sucios morros,

pero no había ni rastro de gente por ninguna parte. ¿Qué iba a impedir a esos dos ladrones llevarse el caballo y dejarme con las manos vacías? Después de todo, ¿qué podía hacer yo para detenerlos? Y el caballero elegante no me iba a dar ni media guinea si su yegua se extraviaba, ¿o sí? En cualquier caso, no pude aceptarlo. Me sentía una persona íntegra y muy orgulloso después de lo que los dos granjeros habían dicho sobre mí. Además, no me había olvidado del listillo que seguramente estaría esperándome al doblar la esquina. Había decidido pelear antes de dejar que se llevaran el corcel.

—No tendrán la yegua —les dije—. Ni por treinta chelines, ni por treinta guineas.

Agarré las riendas con fuerza, apreté los dientes y me preparé para los golpes que tendría que recibir a continuación. Pero una vez más la suerte me sonrió. Por segunda vez durante ese día, sentí una tormenta que me subía desde los pies y luego oí la trápala de pezuñas aproximándose, el tintineo de las bridas, las voces divertidas de un chavalito a la vuelta de la esquina y el cloquear de una

gallina que no corrió a tiempo. Y en medio de ese gran estruendo apareció una imponente docena de soldados del rey. No venían tan rápido como el caballero en su corcel negro, pero estaba claro que no iban despacio, porque sus caballos chorreaban sudor y desprendían tanto vapor que era como si los soldados cargasen con su propia nube por si les hacía falta algo de lluvia.

Pegué la yegua todo lo que pude al costado de la calle, para abrir camino a los soldados. Mientras lo hacía, noté que el desdentado y el de los pantalones embarrados se habían esfumado con el mismo sigilo con el que habían aparecido. Confieso que me habría gustado desaparecer así de fácil, porque, como seguramente sabe, señor, los mendigos y los soldados no somos por naturaleza buenos aliados. Pero no podía esfumarme, ni evitar que me vieran. Aunque tenían todo el camino despejado, no pasaron de largo. Se detuvieron, todos, y formaron una herradura alrededor mío, como una impenetrable barrera escarlata, la del color de sus uniformes.

7

La yegua negra se movía inquieta y tiraba del freno, y me pareció que estaba tan nerviosa como yo. Los caballos de los soldados piafaban y sacudían sus cabezas impacientemente. Uno de los soldados desmontó y entregó las riendas de su caballo a otro.

—¿De quién es este caballo? —me preguntó.

Juro que una docena de respuestas distintas me vinieron a la cabeza, pero, como no me pude decidir por ninguna, dejé que todas se me escaparan y no respondí nada. El soldado se fue inclinando frente a mí hasta que sus severos ojos grises quedaron al mismo nivel que los míos.

—¿Hablamos el mismo idioma? —preguntó, muy lentamente.

Me habría reído, de no haber tenido tanto miedo.

—Sí, señor —dije.

—Sí, Capitán —dijo él.

—Sí, Capitán —repetí yo.

—¿De quién es este caballo? —volvió a preguntar.

—Pertenece a un caballero —respondí, considerando más conveniente ser sincero— que me prometió una guinea si se lo cuidaba hasta que él volviera.

El capitán se enderezó y empezó a rodear a la yegua de una forma muy parecida a como lo hicieron los dos ladrones. Ella dio un profundo suspiro, como si estuviera agotada de ser estudiada. El capitán le levantó las patas y le escudriñó las herraduras, luego miró la capa y la silla que había debajo.

—No está a la venta, señor —le advertí.

—Capitán —me corrigió.

—No está a la venta, señor Capitán —repetí, obediente.

—Qué pena —dijo—, es un animal precioso.

Me sentí muy orgulloso al oír eso, como si fuera realmente mío, y descubrí que, a pesar de todo, me estaba empezando a caer bien ese soldado.

—Sí, efectivamente, lo es, Capitán —dije.

—Pero cuéntame algo más sobre su dueño. ¿Cómo es?

—Desde luego, tan alto como usted, mi Capitán. O casi. Y tiene un gran bigote y el cabello negro, largo y rizado.

—Ya —dijo el capitán—. ¿Y recuerdas si cargaba algo?

—Una alforja, Capitán. Eso es todo lo que recuerdo.

—Buen chico —dijo el capitán, y me alborotó el pelo del mismo modo que lo había hecho el caballero, aunque advertí que después se limpió la mano en los pantalones, y el caballero no hizo eso.

Volvió a la barrera escarlata y dijo algo a otro de los soldados, y ése también se apeó,

y caminaron juntos hasta un lugar apartado, más adelante. Tuvieron que alejarse bastante, porque ya para entonces se había amontonado mucha gente y se había formado otra herradura de curiosos, reunidos detrás de los soldados. Todos me miraban y me agradó mucho, señor, que todos esos ojos se fijaran en mí y en la hermosa yegua negra. Me hicieron sentir muy importante.

Pero no duró mucho. El capitán volvió pronto y dio una orden a su tropa, y de inmediato los soldados empezaron a dispersar a la muchedumbre y a hacer que todos volvieran a sus asuntos. Entonces también los soldados se marcharon, dejando sólo al capitán, al otro con el que había estado hablando y a sus dos caballos.

El capitán se me acercó y volvió a doblar las rodillas para mirarme a los ojos.

—¿Cómo te llamas, chaval?

Se lo dije y siguió preguntando:

—Bien, me parece que eres un joven muy digno de confianza.

Yo asentí con la cabeza con toda seriedad. Como seguramente ya se habrá dado cuenta, señor, era una observación muy perspicaz por parte del capitán.

—Buen chico —prosiguió—. Buen chico. Y dime, ¿te gustaría hacer un trabajo para el rey?

—Me gustaría mucho, Capitán —contesté yo.

—Muy bien —añadió—. Y no te será en absoluto difícil.

Por un momento me atreví a imaginarme vestido con un uniforme escarlata y montando la yegua negra en una temible batalla,

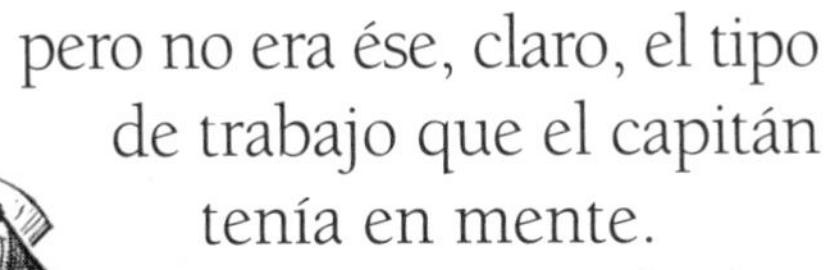

pero no era ése, claro, el tipo de trabajo que el capitán tenía en mente.

—¿Has oído hablar alguna vez de un tipo llamado Dick Turpin? —me preguntó.

—¿Dick Turpin, el salteador de caminos? —pregunté.

—Ése mismo.

Por supuesto que había oído hablar de él. ¿Quién no? Como a todos los chavales pobres que vivíamos en la calle, me encantaban las historias de ese famoso salteador de caminos. Me ponía al acecho en los portales de las posadas para escuchar algo sobre sus últimas hazañas, y me ocultaba en las sombras de las esquinas al oír mencionar su nombre, por si se contaba alguna nueva historia de sus proezas. En sueños, revivía sus aventuras, como cuando salía del bosque

para atacar a otro hombre rico. «¡Alto ahí, manos arriba!», eso es lo que les decía. «¡La bolsa o la vida!». Dick Turpin era mi héroe.

Me quedé en silencio un largo rato, perdido en mis pensamientos.

—¿Y? —preguntó el capitán—. ¿Sabes algo de él o no?

—Sí, mi Capitán. Por supuesto.

—Bien —dijo—, estoy completamente seguro de que el caballero que te dio a cuidar su corcel no era otro que el mismísimo Dick Turpin.

Me quedé mirando fijamente al capitán, sin dar crédito, mientras me vinieron a la cabeza otras cien ideas, que empezaron a estorbarse unas a otras.

—Y ésta —continuó, enderezándose y dándole unas palmaditas a la yegua en el pescuezo— es nada menos que *Black Bess.*

8

Lancé un inesperado grito ahogado. Entonces la yegua sí que era una realeza ecuestre. No había engañado a esas niñas en absoluto. De hecho, ¡debí cobrarles más!

—*Black Bess* —susurré, acariciándole el hocico.

El capitán se rio y se apoyó en la yegua, rodeándole el pescuezo con un brazo, sin apretarla. Debo admitir que me pareció imprudente que se tomara tales libertades con ella, como si fuera un rocín cualquiera. Pero como era capitán de la guardia del rey,

¿qué podía decir yo? Y en todo caso, pronto lo olvidé, tan pronto como oí lo que dijo enseguida:

—Dick Turpin interceptó y asaltó un carruaje de correos, y robó una bolsa de monedas de oro que llevaban al Banco de Inglaterra. Cuando se fue, el cochero cogió el caballo más veloz y lo siguió, hasta que, por casualidad, nos encontró a mí y a mis hombres, que realizábamos maniobras en el campo. Pudimos seguir las huellas de Turpin, que seguían frescas, y nos condujeron hasta aquí. Las formas de los clavos de las herraduras de su caballo —y entonces levantó una de las pezuñas de *Black Bess* para mostrármelas— son muy poco corrientes, así que no nos costó trabajo seguirle los pasos.

Asentí con la cabeza, abatido, pues no me gustó nada lo que estaba oyendo.

—De todas maneras, tal vez esté equivocado, Capitán —dije—. Tal vez habéis seguido

la pista de otro hombre. No creo que el hombre que yo vi fuera Dick Turpin.

Él se rio.

—Bueno, quizá tengas razón. Pero pronto lo descubriremos, ¿no? Lo único que tenemos que hacer es esperar hasta que vuelva por su caballo y entonces lo sabremos.

—¿Y yo qué haré, Capitán? —pregunté tristemente, aunque ya lo había adivinado.

—Tu parte consiste en hacer exactamente lo que estás haciendo ahora: quedarte aquí con *Black Bess* y esperar a que vuelva su dueño. Mientras tanto, mis hombres y yo nos ocultaremos cerca y, cuando el señor Turpin llegue, lo sorprenderemos y lo detendremos.

Me sentía humillado, y todavía tratando de sacar al pobre Dick Turpin de este enredo le contesté:

—Quizá no funcione, Capitán. He oído decir que Dick Turpin es capaz de oler a un soldado a un kilómetro de distancia. Es por el tipo de crema que usáis en las botas.

El capitán volvió a reír.

—Regresará, porque ¿qué sería de Dick Turpin sin su *Black Bess?* —dijo, y volvió a acariciar a la yegua—. ¿Dónde encontraría otro caballo la mitad de rápido, y tan leal y valiente?

¿Qué podía hacer yo, señor? Ya podrá imaginarse mi apuro. ¿Qué habría hecho usted? Estaba tan emocionado, señor, por haber conocido al gran Dick Turpin y por estar sujetando su famoso corcel..., ¡pero ahora me había convertido en el cebo de un plan para atraparlo! Gusanos en el anzuelo, señor, eso es lo que querían que fuésemos. Yo y la pobre *Black Bess.*

La miré a los ojos y supe que eso le hubiese disgustado a ella por lo menos tanto como a mí, si la muy inocente hubiese podido entender lo que estaba ocurriendo.

Me vinieron a la cabeza toda suerte de ideas en muy poco tiempo, y no me enorgullezco de todas ellas. La peor fue si Dick Turpin tendría tiempo suficiente para entregarme mi guinea de oro antes de que los soldados lo encerraran, y la mejor fue la de soltar las riendas de *Black Bess* y alejarme de todo ese sucio asunto. Pero tenía otra, a medio camino entre esas dos, que fue la que elegí, y era la siguiente: mientras siguiera ahí, sujetando a *Black Bess*, todavía había posibilidades de que Dick Turpin escapara. Si lo veía a lo lejos, podría gritar y advertirle de la trampa, y él podría huir y ocultarse. O si aparecía acercándose sigilosamente por la callejuela, como lo habían hecho los dos ladrones, podría conseguir que saltara al lomo de *Black Bess* y saliera a todo galope antes de que los

soldados tuviesen tiempo de acercarse. Estas posibilidades eran escasas, pero fue lo mejor que se me ocurrió.

Así que había sólo una pequeña cuestión con la que había que lidiar.

—¿Y yo qué gano, Capitán? —pregunté—. Dick Turpin me prometió una guinea por sujetar al caballo, así que saldré perdiendo, ¿no?

El capitán rio y casi volvió a revolverme el cabello, pero apartó la mano en el último momento.

Se dio un golpecito en la pechera de la chaqueta de su uniforme y oí la suave música de las monedas. Entonces, aunque no podía hacerlo sin sentirme avergonzado, asentí con la cabeza; eso significaba que aceptaba realizar ese pequeño trabajo para el rey, y que aceptaba mi parte en tender una trampa al hombre que era mi héroe y, como me gustaba pensar, mi amigo.

9

El capitán y sus ayudantes se montaron en sus caballos y se alejaron, dejando vacía nuevamente la vieja y sucia calle. No sé dónde ocultaron sus caballos y, en todo caso, no sé dónde se ocultaron ellos. Examiné todas las puertas y ventanas, todos los techos, todas las sombras que estaban a mi alcance. Pero no pude vislumbrar un solo abrigo escarlata o bota cubierta de crema.

Fue, por decir algo, un día muy raro, como estoy seguro de que usted ya se imaginará. Nunca en la vida tanta gente me había ofrecido tanto dinero, y aun así no había visto ni un penique. No me sentía seguro de haber tomado las decisiones correctas, y todos los acontecimientos del día me daban vueltas en la cabeza.

Bess tampoco parecía contenta. Estaba inquieta, miraba de un lado a otro y tiraba de las riendas como si me quisiera arrastrar por la calle. Yo la así con fuerza y la mantuve quieta. Le acaricié el hocico y traté de tranquilizarla, pero ella sacudió la cabeza y me dio un empujón tan fuerte en el pecho que por poco me caigo.

—Calma, calma, *Bess* —dije—. No pasa nada.

Pero ya no me miraba, y llegué a pensar que sabía exactamente lo que estaba ocurriendo y que no quería ser parte de ese repugnante plan. Yo tampoco deseaba tener nada que ver en él, señor, pero no encontraba la forma de salir. Estaba rodeado de soldados y, si trataba de huir, podría ser detenido como un criminal. Varias veces más, *Bess* me empujó fuerte en el pecho con el hocico y, después de un rato, me di cuenta de cuál era el problema. Había perdido la noción del tiempo que habíamos estado ahí parados, pero ya para entonces debían haber pasado varias horas y la pobre yegua debía tener un hambre atroz.

¿Sabe una cosa, señor? De haber estado con otro chico o chica ese día, nada me habría persuadido a compartir con ellos lo que tenía. Crecí con demasiadas dificultades, supongo, y cuando uno cae tan bajo como yo lo primero es sálvese quien pueda, por decirlo de alguna manera. Si hubiese podido, me habría metido en algún lugar tranquilo para estar solo y comerme el pan que me había guardado en el bolsillo, y nadie más habría podido ni siquiera olerlo.

¿Pero podía ser diferente con un caballo? No se lo puedo responder, señor, pero el caso es que compartí mi último trozo de pan con la yegua, ésa es la pura verdad. Tampoco tenía lógica. Ese pan era toda una comida para mí, y apenas un bocado para ella, pero de todos modos comió su parte, y un poco más; y a pesar de ser pequeño el trozo, pudo masticarlo y tragarlo, y sepa usted que me dio tanto placer verla comer, como comer yo mismo.

Me han dicho que el rey tarda dos horas en cenar cada noche, pero no me lo puedo imaginar. Nunca he visto tanta comida en un solo lugar como la que haría que el rey y su séquito tardaran dos horas en comer. Así imagino el cielo. Dos horas sin hacer otra cosa que comer. La yegua y yo engullimos el pan en dos minutos, señor, o menos. Y después de eso, volvimos a la espera.

He notado que usted tiene un buen par de botas, señor, y dudo que haya sabido lo que se siente al perder toda sensación en los pies, pero es algo que no desearía a mi peor enemigo. Sucede en los días más fríos, y es muy extraño. Uno sabe que está de pie, pero no tiene ni idea de lo que está pisando. Pueden ser adoquines o barro. O puede ser que tengas el agua hasta los tobillos. Sin embargo, a no ser que uno se tome la molestia de bajar la vista, no tiene la menor idea.

Y eso mismo me estaba empezando a pasar entonces, parado ahí, esperando. Por lo general, cuando eso ocurre, camino hasta que se me calientan los pies o me olvido de ellos, pero esta vez, por supuesto, no tenía dónde ir. No me quedaba otra opción más que aguantar.

Comenzó a caer temprano la noche, una lúgubre noche de mitad de invierno, y la calle se empezó a llenar de gente que volvía del trabajo o estaba ocupada con tareas domésticas. Hombres y mujeres pasaban de un lado a otro con cubos, iban hacia la noria o regresaban de allí. Los niños salían a la calle a jugar mientras se preparaban sus cenas, y algunos se amontonaron para mirar a *Bess*. A un chico estúpi-

do le pareció gracioso lanzarle piedras. Yo no me atreví a decirle a quién pertenecía, pero paró en cuanto le devolví una de sus pedradas, y lo bastante fuerte como para que le doliera.

Cuando se hizo por completo de noche, los niños salieron a reunir a los cerdos y las gallinas, y entonces todos se metieron a sus casas y cerraron las puertas y las persianas. Supongo que no haría mucho calor dentro de esas casas, pero desde donde yo estaba así lo parecía. Los olores de comida me distraían, la luz de las velas se filtraba por entre los marcos de las puertas y las ventanas, y de las chimeneas salía el humo de la madera. Parecía injusto, señor, que yo no tuviera una familia que me esperase, ni un hogar donde descongelarme los dedos de los pies.

Pensé en Dick Turpin y me pregunté dónde estaba. En algún sitio caliente, seguro. Gastando su dinero y comiendo hasta hartarse, con sus botas altas echando vapor frente a alguna chimenea.

Cuando comprendí esto, su amabilidad y la promesa que hizo empecé a sentirla

menos como un privilegio. Tal vez no fuera un hombre tan bueno si había sido capaz de dejarme descalzo a punto de caer la noche, con el agua de los charcos de barro empezándose a congelar otra vez.

O tal vez fuera cierto lo que decían de él. Tal vez había tratado de volver por *Black Bess* y a darme mi guinea, pero olió la crema de las botas de los soldados y se dio

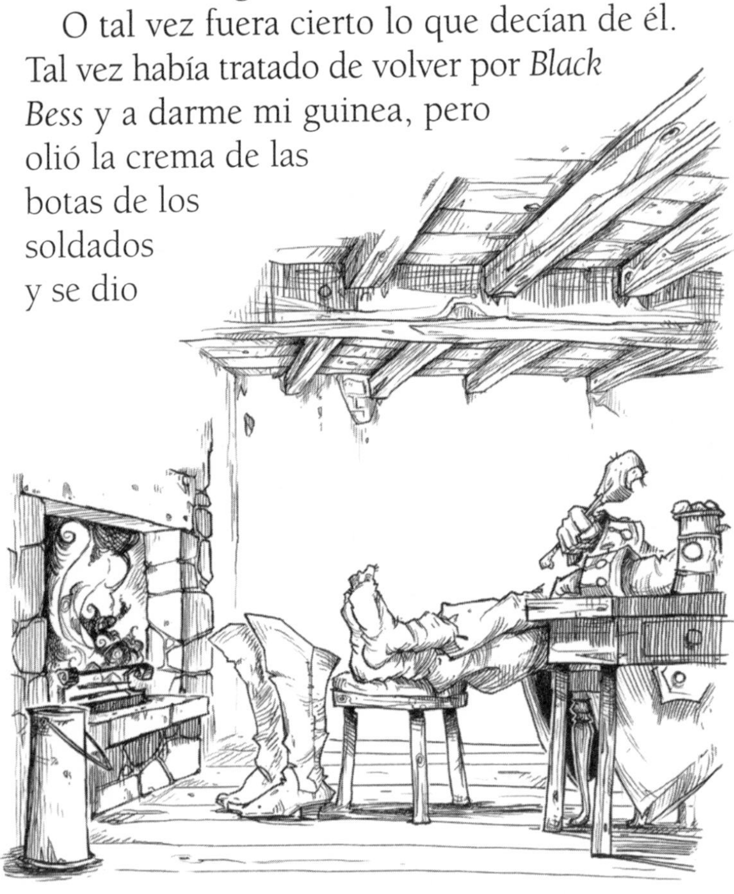

media vuelta al descubrir la trampa que le habíamos tendido.

Me esperaba una larga noche en el frío glacial y empecé a desear no haber tenido nunca la desgracia de conocer a Dick Turpin y a *Black Bess*.

10

Como podía haberme imaginado, el desdentado y su corpulento amigo vinieron de noche, señor.

No los vi ni los oí venir. Simplemente aparecieron; salieron a hurtadillas por la callejuela que había detrás de mí.

Lo primero que pensé al verlos fue en aceptar sus sucios chelines y echar a correr. Aunque luego me atraparan los soldados, estaría mejor que parado ahí, muriéndome de frío. Pero esta vez no me ofrecieron nada. Sólo me empujaron al barro y cogieron el caballo.

Yo no soy muy grande, señor, como podrá comprobar, pero puedo hacer mucho ruido si así lo deseo, y eso es lo que hice. La puerta de la casa más cercana se abrió, pero yo ya iba corriendo detrás de los hombres y de *Black Bess*. Pero no era necesario, porque los soldados también aparecieron como de la nada. Estaban por todas partes a nuestro alrededor: en la oscuridad, obstruyendo cada salida de cada callejuela. Los hombres trataron de huir, pero no había esperanzas. Rápidamente fueron pillados, y los trajeron hasta la esquina y los pusieron contra la pared. Ya para entonces había bastante luz porque, con la confusión, la mitad de los que vivían en esa calle abrieron sus puertas. Y la otra mitad, supongo, las cerró mejor.

—Pero el caballo es mío —decía el de los pantalones embarrados—. Ese pilluelo me lo ha robado.

—¿Es cierto eso, chaval? —preguntó el capitán, saliendo de una de las callejuelas—. ¿Éste es el hombre que te pidió que le cuidaras el caballo?

Se me suelen ocurrir en un instante un montón de cosas, señor, así debe ser si se vive del ingenio, como yo. Pero esa vez no pensé lo bastante rápido. Podría haberse terminado todo. Si hubiera dicho que sí, podría haber sido el final de mi espera.

—Pero me prometió una guinea y ahora debe dármela —debí haber dicho. Entonces, el hombre de los pantalones embarrados me habría dado sin rechistar una guinea para salir del aprieto, y habría hecho un gran negocio. En cuanto a mí, podría haber ido a la panadería más cercana a hartarme de pastelillos de carne y riñones.

Pero ese plan podía haber tenido un mejor resultado, y era éste: si yo le señalaba a él como el dueño del caballo, los soldados dejarían de buscar a Dick Turpin, ¿no es así? Así que cuando su verdadero dueño volviera por *Black Bess,* se sentiría decepcionado, por supuesto, y pensaría que lo había engañado, y yo sería muy desafortunado si, por casualidad, me lo volviera a encontrar algún día. Pero lo importante es que él sería libre, y podría seguir con sus asuntos de los caminos. De hecho, era la solución perfecta para los problemas de todos nosotros.

Pero ¿dije que sí?

No. Dije que no.

Dos palabras tan pequeñas, señor, pero qué diferencia hay entre ellas. Dije que no y

los soldados inmediatamente les pusieron las manos encima a los dos hombres, como siguiendo mis órdenes directas. Me dio una gran sensación de poder, pero no duró mucho. El de los pantalones embarrados me escupió cuando se lo llevaban, lo que prueba que no era ningún caballero, a pesar del chaleco y las botas.

Tres de los soldados se fueron con los hombres, y el resto se volvió a esfumar a dondequiera que hubieran estado ocultos antes. Sólo el capitán se quedó atrás y me dio una palmada en el hombro.

—Regrese a su puesto, jovencito —dijo.

Se me rompió el corazón al pensar que tenía que estar más tiempo parado en la oscuridad y el frío. ¿Pero qué podía hacer? Guie a la yegua de vuelta a nuestra posición y le acomodé la capa. Me di cuenta de que se estaba maravillosamente caliente ahí debajo, donde la pesada tela de lana atrapaba el calor de su cuerpo, y envidié al animal, y me pregunté cómo era que pudiera estar tan bien cuidado y cómodo, mientras yo estaba tan triste y tenía tanto frío. Pero ése no era mi destino, señor, yo estaba muy acostumbrado a sufrir, así que me ajusté todo lo que pude mi viejo abrigo hecho jirones y pateé el suelo con los pies helados.

No sé cuánto tiempo nos quedamos así, de pie, con la yegua apoyándose en una pierna trasera, y luego en la otra, y yo apoyado en la pared y haciendo lo mismo. Sé que hay algunas personas a las que les gusta la noche, pero yo no soy una de ellas. Durante la noche recuerdo mi vida en casa antes de que mi madre muriera, y cuando no hay nada que te distraiga es difícil evitar pensar demasiado en el pasado, en las cosas malas que suceden. Mido los días por el recorrido del sol por el cielo, y la longitud de los caminos y las calles por los pasos que doy, pero no tengo manera de medir las horas de oscuridad, así que no tengo ni idea de qué hora era cuando *Black Bess* se cansó de estar parada y, con mucho cuidado, se tumbó.

Y ahora que ya no me quedaba tan alta, vi una forma en la que podríamos compartir la capa de Dick Turpin y mantenernos los dos calentitos. Yo nunca me había ahorcajado en un caballo, pero ahora que su lomo estaba tan cerca del suelo, no me pareció que sería un gran riesgo subir, si a cambio estaba la promesa de tal calor.

Muy lentamente y en silencio, con cuidado de no alarmar a la yegua, eché las riendas por encima de su cabeza y me encaramé a la silla. Ella suspiró en la oscuridad, pero no protestó de ninguna otra forma. Yo me deslicé hasta atrás en la silla, y me incliné hacia adelante, hacia su cruz. La capa me cubrió

la espalda hasta el cuello, pero aun así entraba una corriente de aire por debajo, así que palpé alrededor del pescuezo hasta encontrar la hebilla y la correa, y me la sujeté al cuello.

La tela aún tenía el rancio olor del sudor seco de la yegua, pero también contenía el calor de su cuerpo. Empecé a sentir calor tan rápidamente que me comenzaron a doler las manos y los pies. Pero también sentí placer, señor: el placer puro de estar calentito, con la mejilla apoyada en la espesa crin de la yegua.

11

Desperté con la alarmante sensación de que la yegua se estaba poniendo de pie conmigo encima. Estaba tan oscuro que pensé que se me habían pegado los ojos, como ocurre a menudo cuando me despierto por la mañana; pero entonces vislumbré las pocas estrellas que se alcanzaban a ver por encima de los edificios y supe que seguía siendo de noche.

—Abajo, chaval. Se acabó todo.

Era la voz del capitán, y ahora también pude distinguir su silueta en la calle, a mi lado. Pero yo miraba hacia abajo, no hacia arriba, porque seguía montado sobre el lomo de la yegua.

—¿Qué se acabó? —pregunté—. ¿Qué está pasando?

—Dos policías atraparon a Dick Turpin ayer por la tarde. Nos acaban de comunicar la noticia.

Parecía muy contrariado. Me pregunté de quién había sido la culpa de que él y sus soldados se hubieran quedado la mitad de la noche en medio del frío, esperando pillar a un hombre al que ya habían echado la mano encima.

—Así que bájate y vete a casa.

Pero yo no estaba preparado para bajarme y, en todo caso, no tenía ninguna casa a donde ir. Y había otra cosa.

—¿Y mi paga? —pregunté.

—Bah, olvídate de tu paga —dijo el capitán y alargó la mano para cogerme del brazo y bajarme.

Pero yo no pensaba bajarme. Tenía el corazón lleno de furia por cómo me habían utilizado. ¿Realmente pensó que me podía tratar así? ¿Tenerme parado todo el día y toda la noche y luego mandarme a volar sin siquiera darme seis peniques? Me quité su mano de encima y di una patada tan fuerte como pude. Fallé estrepitosamente, pero cuando mi pierna volvió a su sitio, dio un fuerte golpe en el costado de *Black Bess.* Y como la más noble de las yeguas, no se lo tuve que pedir dos veces: giró hacia el lado opuesto de mi talón y corrió como alma que lleva el diablo. Sólo Dios sabe qué tuve que hacer para no caerme de la silla, pero ya que estábamos en movimiento, me agarré de su crin tan fuerte como pude, sabiendo que mi vida bien podría depender de ello.

Lo bueno es que los caballos ven mejor que las personas en la oscuridad, porque no tenía idea de adónde íbamos. Pero *Black Bess* sí. Sus patas galopaban seguras y firmes,

salpicando la suciedad y el hielo. Pronto me di cuenta por el olor del aire que nos habíamos alejado de la ciudad y estábamos en el campo. Pero la yegua seguía galopando, sin mostrar señales de cansancio. Y yo estaba deseando que mostrara alguna.

No sabía si los soldados nos perseguían, pero tenía otro serio problema, que podría resultar incluso más peligroso. La capa, la maravillosamente cálida capa de Dick Turpin, se extendía al viento tras de mí como lo había hecho cuando entró él en la ciudad el día anterior.

No tengo ni idea de cómo se la sujetaba, pero estoy seguro de que no lo estrangulaba como entonces me estaba estrangulando a mí. Y como no sabía montar, no me atreví a levantar una mano de la crin de la yegua, por miedo a caerme a un camino que no veía y que pasaba rápidamente por debajo de nosotros. Las riendas estaban en alguna parte, batiéndose en su pescuezo y en el dorso de mis manos, pero hacía falta un enorme acto de fe para que yo las tratase de coger.

Aunque si no lo hacía, iba a morir estrangulado por la capa de Dick Turpin, y me

pareció una manera especialmente estúpida de morir, teniendo en cuenta todo lo que había pasado. Así que quité una mano de la crin de *Black Bess* y busqué a tientas en el aire que silbaba por su pescuezo, hasta que sentí la piel fría y grasosa de la rienda, y la agarré.

Siendo usted jinete, señor —y un excelente jinete, me atrevería a decir—, sabrá que no se debe tirar de una rienda mientras la otra queda suelta. De haber sido más fuerte, es probable que hubiera derribado a *Black Bess* y caído junto a ella en un montón de barro. Pero tal y como lo hice, sólo logré desviarla del camino hacia una arboleda donde se vio obligada a parar repentinamente. Naturalmente, yo volé por encima de su cabeza y aterricé en un zarzal, y la capa negra cayó encima de mí.

Todavía estaba intentando desenredarme de ese embrollo, cuando oí el estruendo de las pezuñas en el camino detrás de nosotros: era el capitán del rey y su tropa de soldados, que pasaron a toda velocidad por ahí.

Una vez más, despistados al tratar de atrapar a alguien.

12

Ésa es mi historia, señor. Y no sé qué pensará usted, pero me parece que la yegua me pertenece por derecho. Me la dejaron para que la cuidara, y el hombre que era su dueño va a ser colgado dentro de muy poco, como seguramente ya habrá oído, así que ya no le sirve de nada.

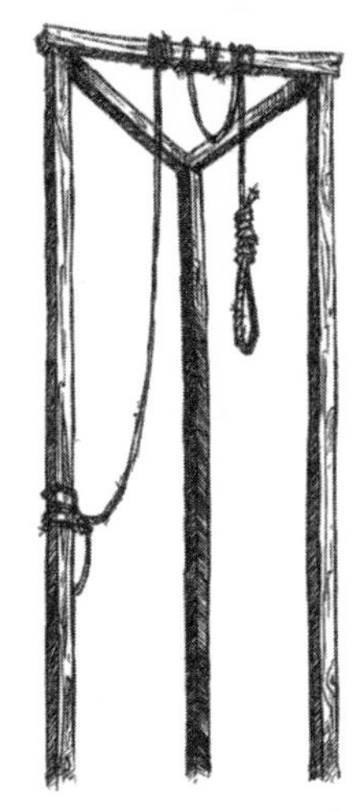

Se me ocurrió retomar la labor de Dick Turpin y continuar el oficio de salteador de caminos. Pero soy pequeño, señor, como puede ver, y no imagino a ningún cochero o viajero prestándome mucha atención, sobre todo porque Dick Turpin se llevó la alforja y me dejó sin pistola.

Y por eso estoy vendiendo la yegua, señor, porque soy un pobre chaval de ciudad y no puedo permitirme mantener un caballo. La capa también se la vendo, si le interesa, aunque no se la puedo dejar barata dada su fascinante historia.

Sí, yo también lo he oído, señor; hay otros que dicen tener en su posesión a *Black Bess* y la están vendiendo. Lo único que le puedo decir es esto: véalo con sus propios ojos. No hace falta que le señale el hermoso caballo que tiene enfrente.

Bueno, naturalmente, se la ve un tanto cansada. ¿No lo estaría usted también, señor, si hubiera pasado lo que ella? Y por supuesto, unas herraduras nuevas harían que sus pezuñas tuvieran mejor pinta. Claro, tal vez se le podrían acicalar un poco las cuartillas, pero señor, por favor, llamarla «caballo de tiro» es demasiado injusto.

No, no. No podría aceptar eso por ella. Es un insulto. Vale diez veces más que eso. Está usted viendo a *Black Bess*, señor, no a cualquier viejo rocín.

Ya veo. Bien, haga lo que quiera, señor. No se cobra por ver. Y hay muchos jinetes que

no dudarían en aprovechar la oportunidad de comprar a la única e inconfundible *Black Bess*. No me costará nada venderla, ¿no es así, querida *Bess*? Ningún problema.

Índice

El pinsapo
de la plaza

Ignacio Sanz

Ilustraciones
David Pintor

ALA DELTA, SERIE VERDE N.º 70. 125 págs.

Una noche de invierno,
un huracán arranca de cuajo
el pinsapo centenario
de la plaza de Valdepinos,
orgullo del pueblo.
Rita, la secretaria municipal,
investiga sobre la verdadera
historia del árbol.
Su sentimiento de admiración
se contagia al resto de vecinos,
que deciden brindar
un homenaje a ese ejemplar,
testigo de la vida de varias
generaciones.